A mis sobrinitas Anaïs, Emma y Tessa.
D.G.

Unicef: ¡los niños primero!

Se llamen Talika, Akara o Chukilla, sean de la India, de Uganda o del Perú, todos los niños y todas las niñas nacen con igualdad de derechos.

No obstante, en todo el mundo, millones de niños se ven privados de su infancia: sin tener derecho a ir a la escuela, recibir atención sanitaria, descansar o sencillamente jugar, no pueden crecer con normalidad.

En todo el mundo, 218 millones de niños trabajan, principalmente en la agricultura, en las minas o tejiendo alfombras. Algunos empiezan muy jóvenes, desde la edad de 5 años. Muchos de ellos efectúan tareas que ponen en peligro su salud, puesto que utilizan productos tóxicos, manipulan máquinas peligrosas o soportan cargas muy pesadas. El trabajo les impide a estos niños ir a la escuela y compromete su futuro. La primera causa del trabajo infantil es la pobreza: se ven obligados a ganar el dinero necesario para la subsistencia de su familia.

Otros niños, como Akara, viven en países en situación de conflicto. Por ello, se ven obligados a abandonar sus aldeas. A menudo, algunos de ellos son víctimas directas, con heridas que comportan graves minusvalías o traumas. Otros incluso son obligados a convertirse en niños soldado.

Para garantizar a los niños el derecho a recibir atención, ser protegidos, ir a la escuela..., Unicef interviene allí donde los niños están más amenazados, en más de 150 países. Gracias a la Convención Internacional sobre los Derechos del Niño, que reconoce que todos los niños del mundo tienen los mismos derechos, la labor de Unicef permite que muchos de ellos dejen su trabajo, puedan ir a la escuela, encuentren refugio en caso de conflicto...

Los voluntarios de Unicef intervienen en las escuelas para explicar a los alumnos cómo viven los niños en los países más pobres y por qué no se respetan sus derechos. Unicef recauda fondos también para ayudar a estos niños. Para Unicef, esta tarea es un medio de crear puentes entre los niños de aquí y los niños de otros lugares del mundo para fomentar la solidaridad.

Tal como expresa el lema de Unicef, juntos podemos hacer que la humanidad avance, para que todos los niños tengan salud, educación, igualdad y protección.

Jacques Hintzy
Presidente de Unicef Francia

Donald Grant

Niños del mundo en peligro

Traducción de Raquel Solà

Editorial EJ Juventud

Provença, 101 – 08029 Barcelona

TALIKA

La fábrica de alfombras

En la India milenaria...

... hay una aldea muy pobre donde habita una niña.

Me llamo Talika y soy huérfana.
Vivo en casa de mi tío.

Cada mañana, voy a buscar agua puesto que en casa no hay. Es agotador.

Durante todo el día trabajo en la fábrica de ladrillos de barro cocido.
Así gano un poco de dinero para mi tío y para mí.

Y por la tarde tengo que preparar la comida y limpiarlo todo.

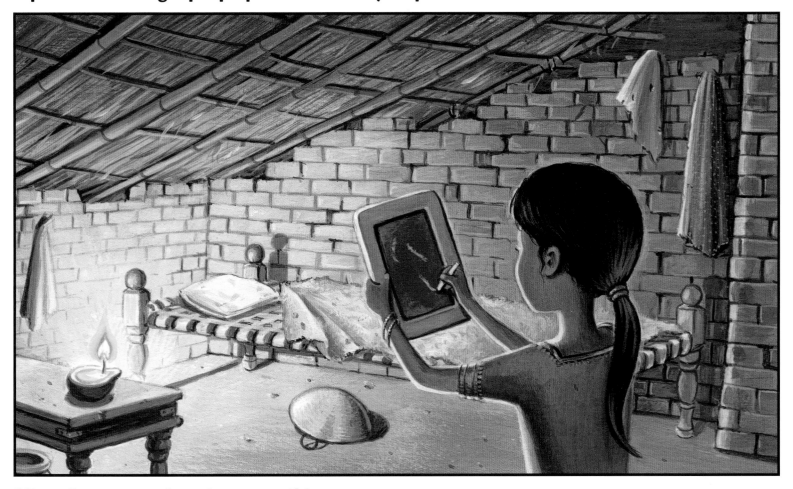

Mi sueño es aprender a leer y escribir.

Un día, un amigo de mi tío propone llevarme con él a estudiar y trabajar en la ciudad.

¡Me gusta la aventura! Pero tengo un poco de miedo.

Subimos a un tren abarrotado de gente...   **... y llegamos a la ciudad.**

El amigo de mi tío me presenta a un señor que no conozco.

–¡Ahora trabajarás para mí, para pagar las deudas de tu tío!

Trabajo doce horas diarias con otras niñas como yo.

La comida no es muy buena.

Dormimos en el suelo y todas las noches lloro.

Una mañana, al alba, la puerta vuela
en mil pedazos: ¡Un control policial!

Todas las niñas huyen corriendo por la calle.

Pero yo ya estoy harta: me quedo y decido contarlo todo.

Al enterarse de nuestra historia, una señora nos acoge y se ocupa de nosotras.

Nos conducen a un hogar donde podemos estar todas juntas.

Tras esos momentos difíciles, podremos disfrutar de nuestra verdadera vida de niños.

Y por fin mi sueño se hace realidad: aprendo a leer y escribir.

La India es el país más poblado del mundo después de China, con más de 900 millones de habitantes.

En la India, muchas mujeres adornan su rostro con un punto de color entre los dos ojos. Se llama *bindi*.

Más de 300 millones de indias visten el sari, una pieza de tela de 5,5 m de largo, sin costuras ni botones. Existe una gran variedad de colores y estilos.

El curry es el plato nacional. Es un guiso con especias muy picantes.

El horno de barro cocido y el horno cilíndrico tandur se utilizan para preparar los alimentos.

Para los hindúes, las vacas son sagradas y circulan libremente por las calles.

Los pozos, a veces muy alejados, son la única fuente de agua.

La mayoría de las aldeas no tienen ni agua corriente ni electricidad.

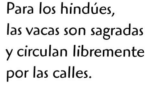

Desde hace siglos, en la India y en Pakistán, las alfombras se fabrican en telares tradicionales. Los niños y las niñas a menudo son explotados porque tienen los dedos ágiles y buena vista. Además, proporcionan mano de obra barata. La pobreza les obliga a trabajar de diez a dieciséis horas diarias en condiciones pésimas que afectan a su salud.

Algunos fabricantes garantizan con una etiqueta que en la fabricación de sus alfombras no ha sido empleado ningún niño de forma ilegal.

La fabricación tradicional de ladrillos de barro cocido emplea también mucha mano de obra infantil.

Dejados a su suerte, los niños abandonados buscan algo para sobrevivir en los vertederos: material para revender, alimentos, etc. Padecen malnutrición, hambre, y todo tipo de abusos.

El número de niños menores de 14 años en la India es superior al de la población de Estados Unidos. El gran desafío de la India y de los países emergentes es velar especialmente por la alimentación, la educación y la salud de su población infantil. Por esta razón Unicef trabaja para conseguir una mejor alimentación de los niños, y organiza campañas de vacunación y de registro de nacimientos. Por ejemplo, al construir pozos, Unicef permite que los niños tengan acceso al agua potable y lucha así contra las numerosas enfermedades que les afectan.

AKARA y NAOMI

Los fugitivos de la noche

En África, cerca del lago Victoria, existe una región que parece el paraíso terrenal...

En nuestra aldea vivimos felices.

Me llamo Akara y mi hermana pequeña, Naomi.

Cada día ayudamos a nuestra madre en el huerto.

Mamá nos prepara *matoke*, nuestro plato preferido.

**Me encanta fabricar juguetes con todo lo que encuentro.
¡Los llamamos *galimotos*!**

Un día, el jefe del poblado nos reúne: se acercan los rebeldes
y nosotros, los niños, tendremos que ir a dormir a la ciudad.

Mamá nos explica que los rebeldes capturan a los niños para convertirlos en soldados.
¡Tenemos mucho miedo!

**Por la noche, partimos con nuestro pequeño hatillo por la carretera.
Centenares de niños hacen lo mismo que nosotros.**

Después de andar tres horas, llegamos a la ciudad y buscamos un rincón iluminado.

**Por nuestra seguridad, debemos permanecer juntos y bajo la luz.
¡Pero no es muy cómodo!**

¡A la mañana siguiente, Naomi se queja
de frío y de hambre!

Regresamos a la aldea, con la barriga vacía,
como todos los demás.

Al llegar, descubrimos que nuestra aldea está completamente destruida y nuestra casa quemada...

El viejo jefe de la aldea nos tranquiliza: los aldeanos han sido evacuados.
Se encuentran en un campo de refugiados.

¿Dónde está mamá?

Volvemos a emprender camino toda la noche, y por la mañana encontramos el campo. ¿Cómo vamos a encontrar a mamá entre todo este gentío?

De pronto, vemos una silueta familiar...

¡Es mamá! Estamos muy contentos de volver a estar juntos.

¡Ahora estamos instalados en el campo y enseño a los demás a hacer *galimotos*!

El lago Victoria está al este de África central.

En esta región hay de todo: montañas magníficas, selvas exuberantes, una biodiversidad animal única. También alberga pueblos fascinantes con costumbres muy diversas.

El *matoke* es un plato muy popular hecho a base de plátano verde hervido.

Los *griots*, o narradores, guardan y transmiten de forma oral las historias tradicionales.

En toda África, los niños fabrican maravillosos juguetes con objetos recuperados.

El ochenta por ciento de los habitantes viven en pequeñas aldeas formadas por cabañas de barro cubiertas de paja. ¡Pueden albergar a doce personas o más!

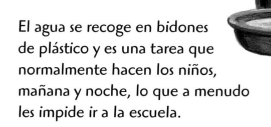

El agua se recoge en bidones de plástico y es una tarea que normalmente hacen los niños, mañana y noche, lo que a menudo les impide ir a la escuela.

Con frecuencia, las pequeñas aldeas son víctimas del pillaje o destruidas, lo que provoca el éxodo de las poblaciones, que dejan todas sus pertenencias tras ellas. Los agricultores abandonan sus tierras, que son su única fuente de ingresos y estabilidad.

Por ejemplo, en el norte de Uganda, los niños son siempre las principales víctimas de la guerra que hace diecinueve años que dura. Viven con el temor constante a ser capturados por los rebeldes durante la noche y por ello unos 40.000 niños cada noche abandonan a sus familias y sus aldeas.

En numerosos conflictos, los niños y las niñas son secuestrados, maltratados y obligados a combatir.

Conocidos con el nombre de fugitivos nocturnos, estos niños caminan hasta 12 km para dormir en la calle, con la esperanza de que en grupo estarán más seguros.

Estas regiones están repletas de armas ligeras, minas antipersona y granadas. Algunas incluso parecen juguetes para niños.

Por suerte, miles de niños consiguen huir. Llegan a los campos de refugiados agotados, enfermos y hambrientos.

Los niños necesitan nuestro apoyo para poder ser acogidos en los campos de refugiados y recibir atención médica: Unicef aporta productos de primera necesidad (agua, mantas, jabón). Procura que estos niños reciban cuidados y se les ayude a superar sus traumas. Unicef también organiza apoyo escolar. Cuando los niños han sido separados de sus padres, la organización intenta buscarlos y se ocupa de que los niños vuelvan con sus familias.

CHUKILLA

El oro de los Andes

En las montañas de los Andes, en América del Sur...

... se encuentran la mina de oro más alta del mundo y su campamento minero.

Me llamo Chukilla, «Rayo de Oro» en quechua, y vivo en el campamento minero con mis padres. Me encanta tocar mi flauta de Pan.

Antes de abandonar el valle, mis padres
vendían frutas y verduras en la ciudad.

Aquí hay muchísima suciedad;
no hay agua corriente ni alcantarillado.

¡En el campamento todo el mundo sueña
con encontrar oro y hacerse rico!

Papá me ha pedido que vaya con él
a la mina para ayudarle.

Al principio yo trituraba piedras todo el día.

Con mamá, cribábamos la gravilla en el agua helada para extraer las pepitas de oro.

Cuando crecí, llevaba pesados sacos para sacar las piedras de la mina.

Y después, como los hombres, acabé cavando en el fondo del túnel.
Dentro de la mina hay poco aire y poca luz. El trabajo es duro y peligroso.

Después de trabajar estamos cansados
y hambrientos. Mamá nos prepara la cena.

Ya no tengo tiempo de ir a la escuela,
pero todas las noches toco la flauta de Pan.

Una mañana, se produce un desprendimiento sobre la carretera de la mina, y con los otros niños la despejamos.

Un día, en el fondo de uno de los pozos, escucho un gran estruendo.

¡El túnel se derrumba sobre mí!

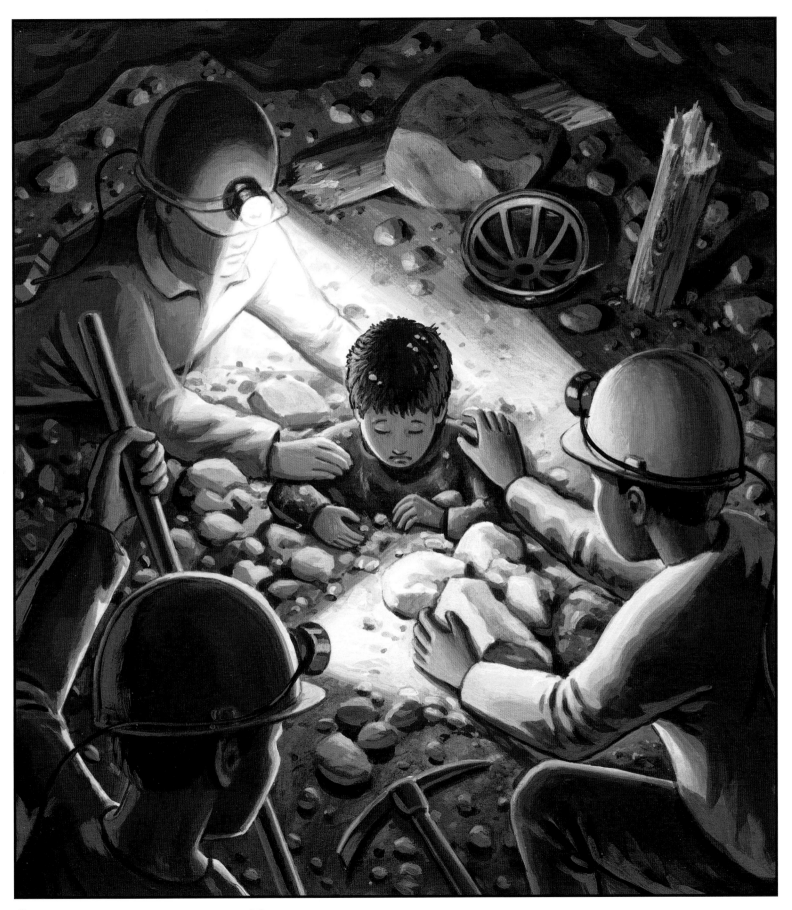

Otros mineros vienen enseguida a socorrerme.

Me llevan urgentemente a la ciudad con mis padres.

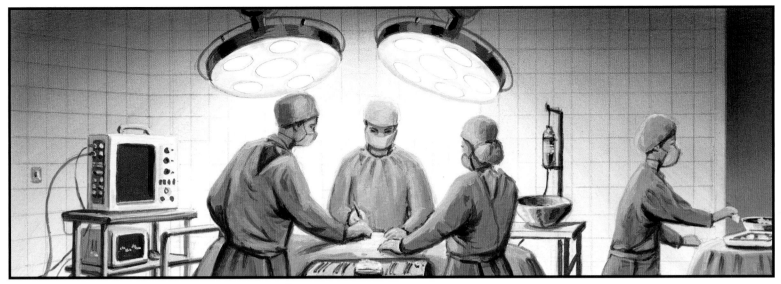

En el hospital, me operan enseguida.

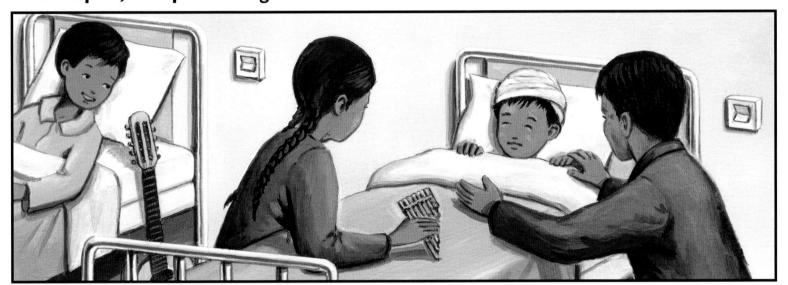

Mis padres vienen a verme y me traen mi flauta.

Mi compañero de habitación, Miguel, es guitarrista.

**Finalmente, mis padres vuelven
a su antiguo trabajo en el mercado.**

Yo he vuelto a la escuela y me he unido al grupo de Miguel.
¡Tenemos mucho éxito!

Las minas de oro más altas de la cordillera de los Andes están en Perú y en Bolivia.

Los quechuas forman el grupo de indígenas indios más importante del mundo. Su idioma era la lengua oficial del Imperio inca. Los trajes típicos de los quechuas son de vivos colores. Llevan un sombrero llamado *chullo* y un poncho de lana de llama.

Los Andes son las montañas más altas del continente sudamericano con 6.769 metros de altitud en el Perú. La cordillera se extiende a lo largo de 8.000 km.

La patata y el maíz se cultivan desde hace miles de años y siguen formando parte de la alimentación de hoy en día.

La gente vive en barracas muy precarias, de tablones de madera con techo de plancha ondulada.

La flauta de Pan o zampoña es una flauta muy antigua y está formada por cañas de carrizo de distintas medidas.

La guitarra de doce cuerdas es un instrumento muy popular.

El bombo legüero, de gran tamaño, es muy importante porque marca el ritmo.

En las pequeñas explotaciones de montaña, el oro es muy difícil de extraer, ya que se encuentra en pequeñas vetas entre la roca. Las máquinas no pueden realizar el trabajo y por ello deben extraerlo los hombres o los niños arrastrándose en la oscuridad.

El oro es uno de los primeros metales utilizados por el hombre. Su belleza, su maleabilidad y su escasez hacen de él un material de gran valor muy codiciado.

Igual que los demás mineros, los niños trabajan con herramientas rudimentarias.

El casco, con su lámpara, es la única protección de los mineros.

Las pepitas de oro se separan con una batea en forma de plato hondo. El mercurio utilizado para la recuperación de las pepitas de oro tiene un impacto terrible en el entorno y la salud de la población.

Para cavar los túneles se utiliza dinamita. Los accidentes son inevitables.

La mayoría de los niños menores de 5 años, más vulnerables, padecen enfermedades e infecciones. La altitud, el clima y el entorno contaminado son las principales causas de sus enfermedades. La contaminación humana, tanto mineral como química, con el agua de lluvia, va a parar a los ríos y desemboca también en el lago más alto del mundo: el Titicaca.

Para acabar con las peores formas de trabajo infantil, Unicef apoya la escolarización de la infancia, especialmente la de las niñas, mediante la construcción de escuelas, la formación de profesores y la distribución de material escolar. Para que los padres no se vean obligados a confiar a sus hijos a los que les explotan, también es preciso actuar para aumentar los ingresos de los adultos.

Derechos de los niños:

Tener una alimentación suficiente y equilibrada.

Ser protegidos de las enfermedades y recibir cuidados.

Tener una familia, ser atendidos y amados.

Tener un nombre y una nacionalidad.

Ir a la escuela.

Poder jugar, bailar, cantar.

Ser escuchados por los adultos y poder decirles «no».

No hacer la guerra ni padecerla.

Ser protegidos de la violencia y la explotación.

Tener un refugio y ser socorridos.

**Los adultos deben
respetar y garantizar
los derechos de los niños.**

**La Convención Internacional de los Derechos del Niño es el tratado
sobre los derechos humanos más ampliamente ratificado de la historia
(por 192 Estados). Fue adoptado por unanimidad por la Asamblea General
de las Naciones Unidas el 20 de noviembre de 1989. Al ratificarlo, los Estados
se comprometen a respetar un código de obligaciones que deben cumplir
respecto a la atención a la infancia de sus países.**

Para saber más:
www.unicef.es

Título original: *S.O.S. enfants du monde*

© Gallimard Jeunesse, 2008
Todos los derechos reservados

© EDITORIAL JUVENTUD, S. A., 2014
Provença, 101 - 08029 Barcelona
info@editorialjuventud.es / www.editorialjuventud.es

Traducción de Raquel Solà
Primera edición, 2014

ISBN 978-84-261-4027-2
DL B 6733-2014
Núm. de edición de E. J.: 12.782
Printed in Spain
Tallers Gràfics Soler, c/ Enric Morera, 15 - 08950 Esplugues de Llobregat (Barcelona)